超级英雄对决

[加拿大]阿兰·M.贝杰隆 / 著

[加拿大]桑帕尔 / 绘

余 轶 / 译

天津出版传媒集团

新蕾出版社

图书在版编目(CIP)数据

超级英雄对决 / (加) 阿兰·M.贝杰隆 (Alain M. Bergeron) 著；(加) 桑帕尔 (Sampar) 绘；余轶译. -- 天津：新蕾出版社，2023.11
(静电超人；8)
ISBN 978-7-5307-7619-3

Ⅰ.①超… Ⅱ.①阿… ②桑… ③余… Ⅲ.①儿童故事-图画故事-加拿大-现代 Ⅳ.①I711.85

中国国家版本馆CIP数据核字(2023)第147883号

Original French title: Capitaine Static – Le Duel des super-héros
Author: Alain M. Bergeron
Illustrated by: Sampar
Copyright © 2016, Editions Québec Amérique inc.
Simplified Chinese translation copyright © 2023 by New Buds Publishing House (Tianjin) Limited Company arranged through Wubenshu Children's Books Agency.
ALL RIGHTS RESERVED
津图登字：02-2022-085

书　　名	超级英雄对决　CHAOJI YINGXIONG DUIJUE
出版发行	天津出版传媒集团 新蕾出版社 http://www.newbuds.com.cn
地　　址	天津市和平区西康路35号(300051)
出 版 人	马玉秀
电　　话	总编办(022)23332422 发行部(022)23332351　23332679
传　　真	(022)23332422
经　　销	全国新华书店
印　　刷	天津海顺印业包装有限公司
开　　本	889mm×1194mm　1/32
字　　数	40千字
印　　张	2.25
版　　次	2023年11月第1版　2023年11月第1次印刷
定　　价	22.00元

著作权所有，请勿擅用本书制作各类出版物，违者必究。
如发现印、装质量问题，影响阅读，请与本社发行部联系调换。
地址：天津市和平区西康路35号
电话：(022)23332677　邮编：300051

谨以此书献给蝙蝠女孩斯蒂芬妮·布朗。

静电⚡超人
绝密档案

名字：查理·西马

真实身份：一名普通的小学四年级男孩

装备

尼龙材质的钢蓝色超人服

红色披风

红色眼罩

黄绿相间的羊毛拖鞋

超能力：静电攻击

粉丝团：电粉团

超能力秘密来源：拖着脚走路

温馨提示
 千万不要让静电超人碰衣物柔顺剂！！

谁摩擦,谁起电!
——静电超人的格言

第 1 章

这座城市太小,容不下两个像我们这样的超级英雄。局面难以控制,一场特殊的战争一触即发。

超级对决将于下周六晚在学校操场举行,由尼古拉·特斯拉充当裁判——他原本是曲棍球比赛的裁判。听闻消息后,他毫不犹豫地接受了这个任务,并表示一定让比赛公平公正地进行。

这场比赛事关重大,输掉的一方将收起自己的超人服,从此变为普通人。

如果保罗·马涅提克输了,那么万事大吉。但如果他赢了……

一段时间以来,我已经爱上了当明星的感觉,喜欢成为对社会、学校和街区有用的公众人物。

保罗·马涅提克休想剥夺我所拥有的这一切!我要让他见识一下什么叫作"前所未有的强劲对手"!但话说回来,其实他也是我"前所未有的强劲对手"啊!

我不能让"电粉"失望,至少不能让所剩无几的"电粉"失望。

大部分"电粉"已纷纷投奔保罗·马涅提克,成为"马粉",只有忠诚的弗雷德还留在我身边。

为了赢得对决,我决定与校园小天才范·德·格拉夫联手。他在能量领域的知识储备很丰富,可以成为我的有力支撑。

范·德·格拉夫在他家地下室对我展开赛前训练。

地下室的地面是一层灰水泥。

刚开始训练时,我的信心与电量一样充足,随时准备向一切名为"保罗·马涅提克"的移动物体发起进攻。

我们花了很长时间研讨保罗·马涅提克的超能力。我把我与保罗·马涅提克两次相遇时所发生的一切都告诉了范·德·格拉夫。

范·德·格拉夫站起身,走到一个小柜边。他打开柜子最上层的抽屉,在里面翻找着什么。

"找到了!"他兴奋地喊道。

范·德·格拉夫关上抽屉,回到我身边。

他点燃一根火柴。火苗腾起,散发出一股气味……

"你当时闻到的是这种气味吗?"

我吸了吸鼻子。

"没错,就是这种气味,只是更浓郁一些!"

范·德·格拉夫吹熄火柴。他的双眼炯炯有神。

接下来的几天，我们由研讨阶段进入高强度的操作训练阶段。

这场对决至关重要，所以我对赛前训练十分重视，每次去范·德·格拉夫家，我都会提前做好准备。

由于训练目标之一是提升我的反应速度，所以我每天晚上都会在家对着镜子反复练习——如何以最快的速度亮出食指。

为了精确瞄准,我把保罗·马涅提克的光头照贴在镜子上,就在我的正对面。这张照片是我的头号粉丝弗雷德特意从"电粉"凯莉那儿借来的。当然,弗雷德并没有告诉凯莉他这么做的真实目的。有了这张相片,再加上一点点想象力,训练效果特别棒!

"你是在跟我说话吗?"

不到一秒钟,我已经直指他的眉心,大喊:嘁啪

我得意扬扬地吹吹手指。

"天下武功,唯快不破。你或许可以凭借速度制服保罗·马涅提克的强力。"这便是范·德·格拉夫对我的训练理念。

我只是不太喜欢他用"或许"这个词。

"你必须在保持速度的同时,提高精准度。"范·德·格拉夫又说,"每一次出击都必须正中目标,否则你就'煳'了。"

我的脑海中出现了自己被保罗·马涅提克的雷电团炸得嘎嘣脆的画面。

为了提升训练效果,范·德·格拉夫在地下室设置了十个隐蔽的人形靶,是用纸板加保罗·马涅提克的头像组合而成的。

范·德·格拉夫记录并评估我每次打靶的反应时长。

"我准备好了!"我对他说。

范·德·格拉夫按下遥控器的按钮,人形靶一个接一个地出现。第一轮训练后,我不得不骄傲地用一个词来形容我的表现,那就是:完美。我击中了每一个目标,就是十个保罗·马涅提克来了我也不怕!可我的好朋友似乎并不满足。

"这不过是热身而已。在第二轮训练中,人形靶出现的速度会加快,出现顺序也会与第一轮不同。"

"只要我提高警惕,就不会被难倒。准备迎接挑战吧,保罗·马涅提克人形靶!"

"太迟了!你话太多!"范·德·格拉夫说,"就在你说话的当口儿,他已经击中你了!"

原来,第一个"保罗·马涅提克"早已出现在我左侧。

"我,话太多?"

我刚一转身……

"又迟了!"范·德·格拉夫叹了口气。此时,第二个"保罗·马涅提克"出现在沙发后面。

我正要为自己辩解,又有两个人形靶相继出现。我已经连续四次错过目标,甚至连出击的机会都没有。

接下来的六个人形靶,我只命中了两个……

第 2 章

我在范·德·格拉夫家的训练还在持续,每次训练内容都不同。星期五晚上,也就是我与保罗·马涅提克展开对决的前一晚,范·德·格拉夫没有为我准备人形靶,因为他的父母不允许他再这样做。

前天,当我用余光看见一个保罗·马涅提克人形靶出现时,我不小心打偏了,静电流击碎了一盏落地灯。

要是那盏落地灯真是保罗·马涅提克，那他一定会被我打得屁滚尿流。范·德·格拉夫的父母被落地灯的碎裂声惊到，匆匆赶来地下室查看情况。

范·德·格拉夫承担了所有的责骂。好在情况还不算最糟——要知道，下一个人形靶就藏在他们的家庭影院屏幕后面。更值得庆幸的是，这些意外并没有在刚开始训练时发生，否则我将失去训练场地。

因此，今天的训练内容不是发起进攻，而是承受进攻。

"光命中目标还不够，"范·德·格拉夫向我解释，"你还得学会承受敌人的攻击。"

我对朋友的聪明才智深信不疑，但他的聪明有时也会让我感到害怕。今晚，他又会让我经受怎样的考验呢？

范·德·格拉夫走到一张桌子旁。桌上放着一件物品，上面罩着一块布。他用颇为夸张的动作揭开了那块布，如同魔术师为观众表演魔术一样。

我又想起他所说的"承受敌人的攻击",恐怕……

一阵滋滋的响声加剧了我的担忧。范·德·格拉夫发动机器,机器开始产生静电,如同他在上一届校园科学展中所展示的那样:两个圆球电光闪烁,电流在两球之间以飞快的速度流动,让人眼花缭乱。

范·德·格拉夫指着机器的遥控器。

他拿起遥控器，按下红色按钮，一个保罗·马涅提克人形靶立刻从半掩的房门后弹了出来。一秒钟后，人形靶的头部就被范·德·格拉夫设计的机器精准击中，然后消失不见了。

"这不过是个小演示而已。"他一边为自己鼓掌，一边宣布。

"你是不是疯了？"我惊恐地问他。

范·德·格拉夫擦了擦眼镜片，郑重地告诉我，他改装这台机器，就是为了能让我学会应对保罗·马涅提克的攻击。

"如果他一出招你就倒地，那对你的超级英雄名声极为不利。"

我认为他说得十分在理。

"根据我们研讨和查询到的相关资料，我把机器改造成能发出类似保罗·马涅提克超能力的雷电流。"

我指着那台机器问：

要是超人面对一吨绿色氪石,他会怎么办?说不定也是我现在这副表情。范·德·格拉夫把我拉回现实。

"静电超人,需不需要我提醒你,你可不是用纸板做的。再说,你的身体可以储存多到令人难以置信的静电流。"

他说得没错。刚刚这么一番折腾下来,我差点儿忘了自己是个特殊人才。

我要接受这场考验。无论遇到何种困难,静电超人都不会轻易低头!

范·德·格拉夫让我站在静电发生器三米开外的地方。

他手持遥控器,只等我示意,就发动机器。

我的鼻子为什么偏偏在这个时候发痒呢?我居然还傻到抬手去挠!

范·德·格拉夫以为我是在向他示意。结果,我的肩膀遭到重重一击,电流直接把我冲击到沙发上,"轰隆"一声巨响,沙发和我齐齐倒地。

我们重新各自站好。

"开始吧!"我宣布。

又一道电流迸出静电发生器,径直冲向我。尽管我早有防备,却依然被击到半空,再次跌向沙发,摔得比上一次还重。

过了好几秒,我才回过神来。

"我不知道,我脑子里一片混乱。问题丝毫没得到解决。保罗·马涅提克一定会全力向我进攻,你有什么办法吗?"

"办法?你只要把 10÷2 就有办法了呀!"

范·德·格拉夫的眼中闪过一道智慧的光芒。

"你可以'以火攻火'!"他提醒我。

我想象自己举着一个喷火器冲向保罗·马涅提克,那画面十分怪异……

"我的机器之所以能击败你,是因为你是'静'的一方。"范·德·格拉夫解释。

"我当然是'静'的一方,因为我本来就是'静电超人'啊!"这一点不言自明。

我那聪慧的朋友立刻明白我误会了他的意思。

不,我说的"静"是"静止"的"静"。你不应该原地静止,而是应该采取行动,以眼还眼,以牙还牙。这样,两种力量才会抵消,甚至让你占据优势。

范·德·格拉夫的话让我恍然大悟。在确保自己电量满格后,我重新摆出战斗姿势。

"准备好了吗?"他对我说,"我数到三——一,二,三!"

我集中精力,瞬间出击,与静电发生器在同一时间释放出电流。

两股电流在中点处交会,迸发出耀眼光芒。范·德·格拉夫早有准备,及时戴上了护目镜。

我下意识地加强电流。你要问我是怎么做到的,其实

我也不明白,但我确实在慢慢地把静电发生器发出的电流推向源头。

这两道电流的交会处光芒闪烁,发出有如万虫齐鸣的声音。范·德·格拉夫见我的攻势强过机器,于是调高档级。

我立刻感受到了变化，因为能量交会点在向我偏移。我决不能让步，果断加大了火力。我究竟是怎样做到这一切的呢？到现在我都不明白。不过答案显然就藏在我自己身上。

基于我的表现，范·德·格拉夫又将机器调到六档。我给出反击，他又调到八档……

这样的对抗让我疲惫不堪。它不仅是精神上的考验，更是体能上的挑战。我渐渐觉得力不从心，交会点不可逆转地向我靠近。但"超级英雄"的自尊心不允许我放弃，最后，我居然耗尽了全身电量！

对抗结束。仿佛有人突然切断了一切电源与声源，静电发生器也安静了下来。

还好我不叫匹诺曹。

"我看出来了。"范·德·格拉夫嘴角带着笑。

我瘫坐在沙发上。这场训练真是能耗极高!

"训练结果很明显……"范·德·格拉夫说着,在我身边坐下。

"保罗·马涅提克得小心才是。"我说。

可范·德·格拉夫并没有接话,而是陷入了沉思。几秒钟后,他拍拍我的肩膀,神色凝重。

想要赢得超级对决,还需解决一个技术问题。可我目前并没有答案……

第3章

一场暴风雨即将来临……当然,我说的是引申义,因为今晚是个无月夜,只有满天繁星。学校的操场完全依靠灯光照明。

我从来没有在星期六的晚上来过这里。操场上气氛沉闷,与白天我们在这里嬉戏时的情景大不相同。

靠墙有一排梯形金属座椅,很快就坐满了前来观战的同学和好奇者。

瞧，弗丽斯小姐也在人群中，身边是"弗丽斯粉丝团"的成员大乔一伙。他们全都打扮成弗丽斯小姐的模样，看起来真可笑。

范·德·格拉夫陪我站在离观众席稍远的地方，等待裁判尼古拉·特斯拉发出登场号令。

到目前为止，保罗·马涅提克一直没有出现，他的"马粉团"也不见踪影。难道我的对手临阵脱逃了？

裁判的登场引起观众的热烈欢呼。尼古拉·特斯拉身穿他在市政体育馆充当曲棍球比赛裁判时常穿的那身条纹裁判服，脖子上挂了一枚哨子。他正吹响哨子提醒那些在他看来太过狂热的观众，请他们保持安静。

观众们尽量抑制自己的兴奋之情。

"有请参赛者登场!"

裁判先是指向我。

"站在我右边的是——静电超人查理·西马!"

现场响起稀稀拉拉的掌声。要说这对我毫无打击,那是在撒谎。

还好有弗雷德,他身穿静电超人服,大声为我加油:

裁判继续宣布：

"站在我左边的是超级英雄——保罗·马涅提克！"

在一阵热烈的欢呼声中，保罗·马涅提克……并没有出现。他居然不在！而他的缺席反倒使他更出风头。

人群开始躁动。裁判吹响哨子，举起喇叭：

"站在我左边的是超级英雄——保罗·马涅提克——"

他故意拉长声音，拖延时间。

"我再给他两分钟时间，否则就要罚他迟到犯规。"裁判恼火地叹了一口气。

突然，一道亮光闪过，震惊了所有人。紧接着一声巨响，强大的冲击波差点儿把我和裁判掀翻。观众们一个个目瞪口呆。

这显然不是自然界的雷声，因为我们头顶上方万里无云。

原来是保罗·马涅提克闪亮登场！只见他周身发光，被"马粉"们簇拥着。他们是我曾经的"电粉"，由我最早的崇拜者凯莉领头。

保罗·马涅提克高举双臂，仿若一名胜券在握的角斗士。然后，他在双手之间变出一团雷电球，用力掷向地面，引起第二轮震耳欲聋的冲击波。

　　尽管他想方设法利用开场特技来威慑我，可我毫不退缩，与他正面对峙。

"你最好退远一些,尼古拉。我的杀伤力可是很强的。"

裁判只是撇了撇嘴,命令我们站到他的身边。"马粉"们这才离开他们的偶像,坐进了观众席。

尼古拉·特斯拉一脸严肃,重申了经双方认可的比赛规则。

"谁先把对手推出'天空格',谁就赢了……"

我这才留意到,水泥地面上有两个用粉笔画的跳房子的游戏格,小格子里写了八个数字,最远端的格子里写有"天空"二字。

"本场对决不许有任何言语攻击。"裁判不满地说,"违规者将被处罚,隔离到禁区内……"

说到这儿,他突然意识到这里并不是市政体育馆。

"行了,双方握手……"

我连想都没想就照做了,结果悔之晚矣……

保罗·马涅提克很大力地握了握我的手,同时施加了一股强大的能量。我感到一阵剧痛。

第4章

我中了保罗·马涅提克的圈套。原来他早有预谋,趁握手之际先给我一个下马威,也算是对我的一种警告。观众先是惊讶,继而兴奋,甚至有人为他鼓劲。

我可不会认输。尽管我很想甩甩被捏疼的双手,但我忍住了。

尼古拉·特斯拉每次下令都会吹响哨子。那哨子就像长在他嘴里一样,他居然可以边吹哨子边说话!

现在,场上一片寂静。两大阵营之间剑拔弩张。

我们必须各走十步,然后转身。为了执行比赛规则,裁判大声数道:

"……八,九,十!转身!"

我和保罗·马涅提克同时行动。

我双臂微微前屈,双脚站立在"天空格"中央,做好开战准备。谁会是第一个出击的人呢?

保罗·马涅提克冲我喊道:

"放马过来吧!"

只见他将双手放在胸前,时刻准备着制造雷电团,砸向我的头。

就像先前面对镜子训练时那样,我大声问道:

"你是在跟我说话吗?"

一阵风裹挟着尘土,在我与保罗·马涅提克之间翻滚。

观众席里,有人用口琴吹响刺耳的乐曲,还有人不耐烦地交头接耳。我用余光瞥见裁判正含着哨子,盯着计时器。

"开电!"观众席里突然有人大喊。

这声叫喊无疑点燃了导火索。保罗·马涅提克向我发起进攻,我也立刻回敬他一道静电流。两股能量中途相遇,就在靠近裁判、被我们称为"中立区"的地方。裁判不得不后退一步。

首轮交战让全场鸦雀无声。每个人都屏住了呼吸。

在能量抗衡之下,雷电团和静电流仿佛都撞上了一堵无形的墙。这无疑是一场顶级较量,不断有爆裂声传出。空气中充斥着难闻的硫黄味。

保罗·马涅提克的最大能量是不是与范·德·格拉夫的静电发生器开到最高档时一样？或许他只是在拖延时间，故意羞辱我？我只知道我必须使出浑身解数，才能抵挡他的进攻，而他对付我似乎易如反掌。

这时，裁判宣布：

"三十秒钟！"

我眉头紧锁，双臂弯曲，聚集全部能量，猛地向前射出一道静电流。保罗·马涅提克没有提防，一个踉跄后退了一步。人群中响起议论声。

保罗·马涅提克用左手继续对抗我的进攻，腾出右手变出一个新的雷电团，比第一个稍小。

随即,他如同棒球投手一般,出其不意地将这个雷电团向我扔来。

我还在全力对抗他最先发出的那个雷电团,压根儿没想到他会来这一招。那团耀眼的光球以极难预测的路线向我袭来。

我只好腾出左手,重新发出一道静电流来应对奔向我的雷电团。这样一来,我的防御力有所削弱,一下子被保罗·马涅提克推向后方。

我面临被推出"天空格"的危险,情况极为不妙。

我进退两难,却发现那个较小的雷电团并没有触碰到我,而是以飞快的速度围着我转圈。它居然就这样把我"抬"到了半空中!我现在大约离地两米,完全被保罗·马涅提克操控。

现在,我的电量已经耗尽,而他显然不是。就在小雷电团围着我转圈时,他的双手间又多出一个新的雷电团。

这声哨响来得真是时候!

尼古拉·特斯拉站到气急败坏的保罗·马涅提克跟前——保罗·马涅提克显然不想在这时收手。

"停止进攻!请你把静电超人放下来!"

保罗·马涅提克不情愿地打了一个响指。一声巨响,环绕我的那个雷电团瞬间消失。我重重地跌到地上。

"哎哟!"我坐在地上揉着疼痛不已的踝关节,看样子我的脚扭伤了。但我依然很庆幸没摔断腿,更没有被推出"天空格"。假如刚才的对决再持续五秒钟的话,后果将不堪设想。

范·德·格拉夫急匆匆朝我跑来。保罗·马涅提克则被

"马粉"们团团围住,这让他很不耐烦,他居然施加能量,像打保龄球一样,把"马粉"们全部推倒在地。

"喂!难道你就是这样对待粉丝的吗?"凯莉抗议道。

"走开点儿,你们这些烦人鬼!"保罗·马涅提克毫不客气地说。在第一轮中稳操胜券的他,绝不会放过自吹自擂的好机会:"原来你们的静电超人就这水平?我不费吹灰之力,就能把他打得一败涂地!这座城市只有一个超级英雄,那就是我!"

范·德·格拉夫扶我回到休息处。尼古拉·特斯拉也跟了过来。

尼古拉·特斯拉重新回到对决现场的中央。我强忍着疼痛，在范·德·格拉夫特意为我准备的地垫上来回摩擦着双脚。突然，范·德·格拉夫像触了电一样跳起，两眼发光地对我说：

"你拖延一下时间，我马上回来！"

说完他便跑开了，消失在观众席后方。

保罗·马涅提克想要尽快开始第二轮比赛。我挥挥手，请求延长休息时间。

"我的教练去……去上厕所了。"

尼古拉·特斯拉不耐烦地用脚点地，同时看着手表。

"我给他一分钟时间，否则……"

我俯下身去,假装调整拖鞋,然后重新站起。

第 5 章

"第二轮对决开始!"尼古拉·特斯拉吹响了哨子。

这一次,观众显然更倾向于为我加油。在嘈杂的声音中,我分明听到了佩内洛普的声音!这无疑为我注入了新能量!看来,我不必做什么,大家也会转而支持我。

我和保罗·马涅提克背靠背站立。从他急促的呼吸声可以判断,他已经觉察到了观众的倾向有所改变。

尼古拉·特斯拉开始数数，每人向前十步。受伤的脚踝，让我每走一步都疼痛不已。

保罗·马涅提克猛地转过身来。我还来不及转身，甚至都没走入"天空格"，背部就遭到一记重击，仿佛是保罗·马涅提克本人冲过来，用力把我撞倒在地。

在强烈的冲击之下，我直挺挺地倒向地面，喘不过气来，如同一条离了水的鱼。

我努力想要站起来。尽管耳中嗡嗡作响，我依然能听见观众席中有人对保罗·马涅提克的这种偷袭行为提出抗议。

保罗·马涅提克转向人群,举起双拳,想要得到观众的认同。可是,他惊讶地发现,大部分观众,包括"马粉"们在内,都在弗雷德和凯莉的带领下,保持大拇指朝上的动作,表示他们支持我。

相反,弗丽斯小姐和大乔一伙却把大拇指朝下。他们的举动更加坚定了保罗·马涅提克想要打败我的决心。我做好了承受更多雷电团袭击的准备……

保罗·马涅提克用双手团出一个雷电团,这一定汇聚了他的全部能量。因为这个雷电团从亮白转为火红,看起来威力无穷。

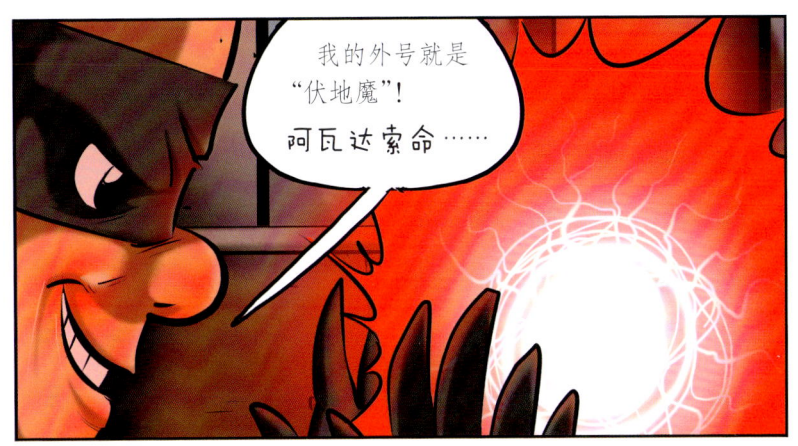

多亏了范·德·格拉夫对我的训练，我以迅雷不及掩耳之势，出人意料地一跃而起，向保罗·马涅提克射出一道强烈的静电流。

保罗·马涅提克对我的迅猛出击毫无防备,根本来不及招架,一下子被冲出老远,在几米开外落地。

于是,原本是为我准备的雷电团,却在他自己的头上开了花。

在一片耀眼的红光中,伴随着一声雷鸣巨响,学校所有的玻璃窗都晃起来,甚至其中几块玻璃彻底碎裂了。

保罗·马涅提克如同断线的提线木偶般瘫软在地。他的衣服被烧得直冒青烟,成了碎片。观众席上鸦雀无声,大家还没回过神来。

我吹了吹指尖。

紧接着,又是一阵轰鸣,但这次是观众的掌声与欢呼声。他们显然乐于看到超级对决的局势反转。

我一瘸一拐地走到尼古拉·特斯拉身边。他手举喇叭,高声宣布大家已经有目共睹的对决结果。

在人群的欢呼声中,保罗·马涅提克艰难地站起身来,整个人似乎还惊魂未定。他发现,由于不满他的态度和行为,观众们都转而支持我,就连"马粉"也不再搭理他。

"保罗·马涅提克,你不再是我们的偶像了。"凯莉对他说。

她从衣服上扯下代表保罗·马涅提克的徽章,扔到他脚边。其他"马粉"也纷纷效仿。然后,他们通通向我走来。

"但是,静电超人仍然是我们的偶像!"我那忠诚的弗雷德提醒大家。

凯莉转向朋友们,带头高呼:

"谁摩擦……"

"谁起电!""电粉团"齐声应答。

一脸沮丧的保罗·马涅提克走到尼古拉·特斯拉身边。尼古拉·特斯拉下令:

"先生们,为发扬体育精神,请对决双方友好握手。"

我毫不畏惧地伸出手去。保罗·马涅提克勉强伸出手,仿佛不愿在公众面前接受对决结果。我和范·德·格拉夫会心对视——我的胜利就是他的胜利。

保罗·马涅提克抬起头来,好像要用目光放出雷电来。

他一语不发地后退几步,脸涨得通红。

现在我"手无寸铁",全部电量都在对决中耗尽,也不可能立刻制造出大量静电来。

不出我所料,保罗·马涅提克果然合拢了双手。我立刻警告身边人:"你们快撤!"

尼古拉·特斯拉还来不及干预,重新转为"电粉"的"马粉"们已经在我的前方站定,组成一道保护我的人墙。

"这没用的!"我朝他们大喊,同时努力把他们推出保罗·马涅提克的射程范围。

恼羞成怒的保罗·马涅提克把全部能量都集中在他的双手之上。

可是,什么事也没有发生!保罗·马涅提克大吃一惊,只好重新操作,就连他那为数不多的盟友也感到了难堪。

"我提醒你,这里可不是《哈利·波特》的拍摄现场哟!"我嘲讽道。

到底是因为我的进攻,还是因为那团在他头上爆炸的红色雷电团呢?答案无人知晓。只有一件事情是肯定的:保罗·马涅提克失去了他的超能力。他不再是英雄,更别说是超级英雄了!

"那我们也不再是你的盟友了,保罗·马涅提克。"弗丽斯小姐和她的随从们说完,立刻溜之大吉。

被所有人抛弃的保罗·马涅提克也只能落荒而逃。对于这位想要取代我,成为我所在城市唯一一名超级英雄的人,我只有一句话相赠:

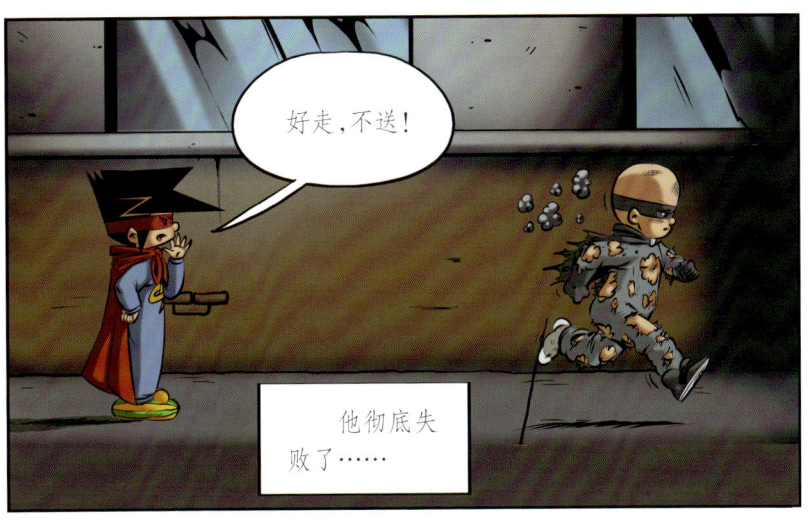

后 记

星期一上学,我没有发现保罗·马涅提克的踪影。我在走廊上与同学闲聊时听说,这位光头男生已经离开了这座城市。

而我呢,则重新与"电粉"建立了紧密联系。超级对决的结果不胫而走,再加上我因为脚踝扭伤只能挂着拐杖走

路,更加深了大家对我的同情。

这份失而复得的荣誉归功于范·德·格拉夫,尽管他一直保持低调。如果没有他,我是不可能赢得这场超级对决的。

是他找到了削弱保罗·马涅提克的攻击力的办法,否则,一旦保罗·马涅提克命中目标(也就是我),后果将不堪设想。

范·德·格拉夫充分意识到了这一点。

在第一轮对决结束后,他想出了一个好主意:在我的两只拖鞋里偷偷各塞进一根细铁链,如同接地线,将对手发来的电流从我身上直接转移到地下。从某种程度上来说,他把我变成了一根避雷针。

由于我拥有超能力,完全可以经受住这股短暂而奇特的能量流动。

更讽刺的是,我就这样积蓄了保罗·马涅提克袭击我的电流,作为我发起进攻的武器。也就是说,保罗·马涅提克的失败,是他自己造成的。

保罗·马涅提克恐怕想不到吧!

要是没有范·德·格拉夫的"接地线",我一定经不起保罗·马涅提克的轮番进攻,这座城市唯一的超级英雄也一定不是我了。

另外,"电粉团"也彻底回归。

我们各自做出让步:我将给予"电粉"们更多的包容与关注;他们呢,则答应为我留出自由呼吸与行动的空间,不再时时刻刻跟随我的左右。

末了,我从书包里取出拖鞋,递给凯莉——弗雷德选她为"本月最佳电粉"。

凯莉两眼放光。激动之余,她唱起了《静电超人之歌》:

谁是这个了不起的新英雄?
静电超人,静电超人!
快来了解他的全新超能力,
准备感受如电流般的刺激。
他只要动动手指,
就会发生奇迹……

静电超人,他就是静电超人!
谁摩擦,谁起电!
静电超人,他就是静电超人!